le graphisme

le graphisme

ou le langage par l'image

MARIE·CLAUDE COURADE
ANNE LALANDE

fleurus
idées

Editions Fleurus, 11, rue Duguay-Trouin 75006 Paris

SOMMAIRE

GRAPHISME

Graphisme : un mot un peu barbare pour définir une chose simple :
s'exprimer, communiquer avec les autres, uniquement au moyen de
l'Image-choc.

Pour cela, à votre disposition, le fusain, le crayon, le pastel, les peintures,
les collages de papier, les photos... et toutes les formes d'expression qui ne
passent pas par les mots.

Cette Image est un langage, avec ses codes, ses constructions, comme la
langue que nous utilisons chaque jour pour traduire et transmettre une
information, un sentiment, une émotion. Beaucoup ont excellé dans l'art du
graphisme : au 19e siècle, les graveurs comme Daumier connu pour ses
caricatures, ou Gustave Doré qui illustra entre autres les Contes de Perrault
et le Gargantua de Rabelais ; le peintre Toulouse-Lautrec réputé pour ses
affiches au style si particulier. Picasso, Cassandre... et bien d'autres encore.

Le graphisme est à l'heure actuelle un mode d'expression de plus en plus
répandu, manière moderne de comprendre et de sentir. Aussi avons-nous
eu envie de vous apprendre à décomposer l'Image pour mieux la lire et
surtout pour vous donner les moyens de vous exprimer à votre tour,
graphiquement, dans un style neuf et toujours personnel.

Ensemble, regardons, découvrons, essayons.

Veste. Huile.
Caroline, 15 ans.

Coupe de champagne.
Fusain.
Franck, 16 ans.

Le graphisme : mot à la mode, mot qui fait tilt. Qu'est-ce que c'est ?
Ensemble, regardons, découvrons, essayons.

Tigre. Fusain et pastel.
Frédéric, 16 ans.

Femme au porte-cigarette.
Acrylique.
Béatrice, 17 ans.

PREMIERS REGARDS
SUR LE GRAPHISME

Qu'y a-t-il de commun entre tous les travaux présentés pages 6-7 ?
Assurément pas la technique employée : de vieilles connaissances comme le
fusain, le pastel, l'huile* ou de nouvelles venues, comme la plume,
l'acrylique, et parfois le mélange de plusieurs d'entre elles. On aurait pu en
ajouter d'autres : la gouache, le lavis, le collage.
Quoi de commun alors ? Peut-être un certain ton, un regard, une manière
différente de s'exprimer.
C'est ça le graphisme : une façon de dire qui se veut avant tout UN
LANGAGE, UN MOYEN DE COMMUNICATION ORIGINAL.
Des hiéroglyphes égyptiens aux images d'Épinal, en passant par les
idéogrammes japonais, Giotto ou l'art Byzantin, le langage par l'image a
toujours existé. Appuyé sur les techniques modernes d'impression et de
diffusion des images, il a aujourd'hui littéralement envahi notre monde :
publicité, présentations à la télé, bandes dessinées, caricatures, les
utilisations du graphisme sont multiples.
Et toujours la même ambition : parler une langue simple, immédiatement
compréhensible, une langue qui s'adresse plus à nos émotions qu'à notre
raisonnement, UNE LANGUE-CHOC.
Apprendre à manier cette langue demande un long apprentissage,
notamment pour maîtriser les moyens techniques généralement mis en
œuvre.
Ensemble, nous allons essayer de saisir l'esprit de ce langage, d'apprendre à
voir certaines images sous l'angle du graphiste. Après, si la passion vous en
a pris, plongez-vous dans des livres qui vous expliqueront le point et la
ligne et leur place dans l'image, ce qu'est une trame, comment on l'utilise
pour des effets spéciaux, etc.
Avec vous, appuyés sur ce que vous savez déjà, et en découvrant au
passage quelques techniques nouvelles (la plume, la peinture acrylique),
nous essaierons simplement de vous APPRENDRE À REGARDER DIFFÉREMMENT
PUIS À TRADUIRE CE QUE VOUS RESSENTEZ D'UNE FAÇON GRAPHIQUE.

* Voir la même série et par les mêmes auteurs : Le fusain ou l'apprentissage du
dessin, Le pastel ou découverte de la couleur.

QUELQUES MAÎTRES-MOTS

Retenez-les bien. Nous allons voir qu'à chacun des travaux présentés dans les pages suivantes, nous pourrons attribuer plusieurs maîtres-mots. Et c'est leurs combinaisons multiples qui font le graphisme aux mille facettes.

Simplification, focalisation

Nous appelons simplification, la recherche d'une construction dépouillée retrouvant les LIGNES DE FORCE du sujet représenté ; focalisation, le coup de projecteur donné sur l'élément que l'on veut souligner au dépend du reste.

Composition, mise en scène

L'objectif est d'amener l'œil du spectateur à SAISIR TOUT DE SUITE L'ESSENTIEL de votre propos. Il faut pour cela apprendre à organiser l'espace que vous souhaitez peindre.

Transformation, refonte

Certains points, certaines formes ont particulièrement attiré votre attention. Ils se sont mis à vivre leur vie propre dans votre tête, à travers votre sensibilité. Presqu'involontairement, vous les RE-CRÉEZ autres, grossis ou transformés, mis en valeur, différents de ce qu'il sont dans la réalité.

Contraste, audace

Pour provoquer un CHOC VISUEL qui attirera l'œil et retiendra l'attention du spectateur.

Utilisation de moyens divers

Mélanges de techniques, introduction de photos, écriture, jeux d'éléments visuels, tout est bon pour parvenir au but recherché : DIRE et FAIRE SENTIR.

REGARDONS, SENTONS, COMPRENONS

Réalisés en atelier, par des jeunes et avec des moyens très simples que vous et moi possédons, les exemples que nous allons vous présenter auront forcément recours à des moyens techniques limités. Tant mieux, car IL NE FAUT JAMAIS CONFONDRE AUDACE GRAPHIQUE ET PROUESSE TECHNIQUE.

B althazar. *Fusain.*
Franck, 16 ans.

La tête de Balthazar, le roi nègre de la cathédrale de Strasbourg, a inspiré ce dessin à Franck, 16 ans. De la statue peu réaliste quant au côté négroïde des traits, il se dégage une impression de force, de puissance, « une gueule », « une trogne », comme on dit!

C'est cela qui semble frapper Franck, ce jour-là. C'est ce qu'il nous raconte et nous fait sentir par TROIS DE NOS MAÎTRES-MOTS.
SIMPLIFICATION : quelques traits, peu nombreux, mais précis : trois valeurs seulement, un gris à peine nuancé par endroits, un noir, un blanc. L'œil ne se perd pas dans les détails, il va à l'essentiel.
FOCALISATION : l'essentiel, c'est cette expression donnée par la bouche, le nez et l'œil à droite. Le reste lui paraissant sans intérêt, Franck le supprime purement et simplement. N'est-ce pas audacieux?
COMPOSITION : notons la grande diagonale blanche, entre deux diagonales noires qui dirige bien l'œil là où il faut : vers le centre du dessin, vers cette bouche et ce nez tellement expressifs.
En faisant ces choix, Franck s'engage personnellement, avec toute sa sensibilité. Il nous dit ce qu'aujourd'hui il ressent, lui Franck. Qui nous dit qu'un autre jour, il n'aurait pas fait des dessins totalement différents?

10

Trois femmes. Fusain.
Audrey, 13 ans.

Un seul document de départ.
Trois expressions réalisées.
Trois jours différents.

1 *SIMPLIFICATION,
FOCALISATION : une main,
une bouche, un geste... rien
de plus... Du noir, du blanc,
à peine un peu de gris...
COMPOSITION : l'intérêt du
dessin est au centre, entre
cette main et cette bouche
que réunit une grande tache
noire au dessin précis. Le
reste, cou, épaule, que l'on
voit à peine, nous y ramène,
l'équilibre et le souligne.*

2 *COMPOSITION, MISE EN
SCÈNE : l'intérêt s'est déplacé.
La main compte moins. Elle
semble n'être là que pour
adoucir ce que le reste aurait
de trop raide. Et ce reste, un
grand mouvement de
balancier de taches et de
lignes, nous force à nous
intéresser surtout à la bouche
et au nez.*

3 *RE-CRÉATION :
la simplification ici est
extrême. Il ne reste qu'une
ligne, une arabesque, une
belle arabesque équilibrée et
souple, aux limites du non-
figuratif.*

$\mathbf{F}$*ouillis graphique. Fusain.*
Jean-Luc, 12 ans.

SIMPLIFICATION, TRANSFORMATION, RE-CRÉATION, COMPOSITION
Sur la table, un fouillis d'objets violemment éclairés par un projecteur : une
roue dentée, un couteau, une boule, une flûte, que sais-je ?

Le petit rat. Pastel et fusain.
Marianne, 14 ans.

*MISE EN SCÈNE, COMPOSITION,
SIMPLIFICATION (certaines
parties de l'animal n'étant pas
dessinée).*
S'il a trouvé sa place ici c'est
que ce petit rat est le premier
degré de ce que nous
appelons GRAPHISME. Il
pourrait être intéressant pour
vous de reprendre ce dessin,
quelle que soit la technique
employée et d'en pousser le
côté graphique, deux ou trois
tons seulement, simplification
à l'extrême. Allez-y, vous
verrez que nous nous
sommes compris.

Le téléphoniste. Pastels.
Xavier, 14 ans.

*SIMPLIFICATION, FOCALISATION,
CONTRASTE*

N*œud*. *Pastel.*
Astrid, 13 ans.

SIMPLIFICATION, FOCALISATION.
AUDACE DANS LE CHOIX DES
COULEURS

L*a gitane*. *Pastel.*
Nathalie, 16 ans.

AUDACE, SIMPLIFICATION

Les points les plus
importants, ceux qui attirent
le plus l'œil, sont aussi les
moins dessinés : la bouche,
les yeux laissent voir le fond
du papier. La chatoyance du
reste : peaux, bijoux, nous y
renvoie par contraste.

14

Pour mémoire et pour terminer, deux exemples de mélange de techniques qui valent surtout par leur mise en scène.

Violon.
Pastel et fusain.
Jean-Christophe,
17 ans.

Graphisme.
Huile et plume.
Philippe, 17 ans.

Arrêtons-nous pour faire le point. Certains des exemples que nous vous avons proposés vous touchent plus que d'autres, mais tous ont en commun ce ton dont nous parlions en commençant. Le sentez-vous ?

LE GRAPHISME : UN JEU DE LIGNES ET DE TÂCHES

Pour comprendre ce que nous voulons dire par jeu de lignes et de taches, regardez maintenant travailler Frédéric, 16 ans, à partir d'une photographie.

Du document de départ, une rue de New York un jour de fête, il ne retient que quelques idées : verticalité, contraste entre le gris des façades et le rouge des drapeaux, contraste entre la raideur de la pierre et le flottement de l'étoffe dans le vent.

Une esquisse au fusain. Dès le départ, il décide de supprimer la foule qui, à son avis, n'apporte rien. Par contre, tous les drapeaux sont là, présents, ainsi que les maisons, sur la gauche dans l'ombre.

Passant à l'huile, après une mise en place rapide au pinceau, il va à l'essentiel : le drapeau central, les deux façades verticales, le réverbère. Puis pour soutenir, pour mettre en valeur toutes ces lignes, il introduit la grande tache souple à gauche, tirée de l'ombre des maisons. Il sent alors le besoin d'assombrir la façade du centre et son ombre, pour encadrer le point brillant. Et tout le reste, drapeaux légers, évocation de la rue qui continue, est laissé tel que les premiers coups de pinceaux l'avait posé. Il gomme même certains passages à son avis superflus.

Ce n'est qu'en se reculant fréquemment, pour juger de l'effet obtenu, pour sentir ce qui lui paraissait nécessaire et gommer le reste, que Frédéric est arrivé à ce dessin très *personnel*.

Un dernier conseil : Tout au long de votre travail, écoutez les réflexions que le dessin suscite en vous. Certaines d'entre elles vous aideront peut-être à voir plus clair en vous-mêmes, à démêler ce que vous voulez dire, ce que vous voulez accentuer.

Un travail amusant qui demande concentration et réflexion. Y-êtes-vous prêts ?

Pour tenter l'étape suivante, à notre avis, il faut avoir fait beaucoup de ces exercices, passionnants d'ailleurs.

Votre tête, votre œil seront pleins de formes et de couleurs. Vous en aurez tant maniées. Vous en aurez tant vu manier. Laissez-les parler. Devant une feuille blanche, des brosses relativement épaisses, une palette de couleur acrylique, laissez-vous aller.

Et si au cours de votre travail, une forme tout à coup vous évoque quelque chose, tant pis, ou tant mieux. Selon votre humeur gommez ou accentuez...
L'important c'est que le résultat, figuratif ou non, vous plaise et vous émeuve. Vous ferez 20 esquisses. Peut-être en garderez-vous une ou deux... mais ces deux-là, vous y tiendrez comme à un petit morceau de vous-même.

C*alvacade. Gravure de M.-C. Courade.*

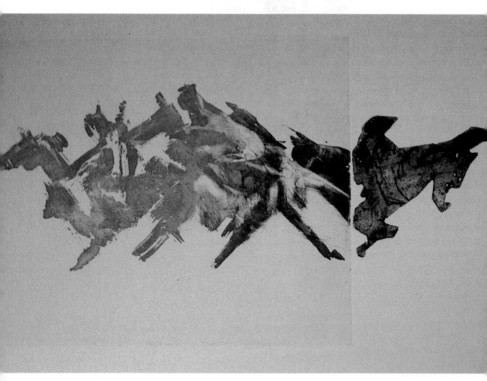

Attention : Il nous semble dangereux de se lancer dans ce travail trop tôt, avant d'avoir exercé son œil à découvrir ce qu'il aimait, avant d'avoir exercé sa main à le suivre.

18

La peinture acrylique semble particulièrement adaptée à ce genre d'exercice. Nous en reparlerons au chapitre suivant.

SI NOUS PARLIONS TECHNIQUE

Le graphisme est un état d'esprit, c'est entendu.
Mais il existe des techniques si bien adaptées à cet état d'esprit qu'on a parfois pu confondre le graphisme avec les techniques employées.
• LA PLUME, aussi ancienne que l'écriture elle-même.
• LA PEINTURE ACRYLIQUE, toute nouvelle venue.
Entre ces deux techniques, fondamentalement différentes dans leur esprit et leur maniement, vous découvrirez vous-même comment utiliser tout ce qui vous tombe sous la main et peut servir à faire des traits, à faire des taches.
Le croquis, graphisme par excellence, est un bon exercice. Il n'est pas une technique en soi, mais il utilise dans un esprit propre, crayons, pinceaux, plume, encres, lavis...

LA PLUME CLASSIQUE

Matériel
Une plume à dessin très souple, de l'encre de Chine noire, du papier (lisse si possible). N'insistons pas sur le matériel nécessaire, tout le monde peut se le procurer.
Remarque : La plume s'adresse à ceux qui ont déjà fait leur premier apprentissage du dessin. N'essayez pas trop tôt cette technique : vous n'en tirerez pas tout le plaisir et tous les résultats qu'on peut en espérer. Pour la pratiquer, il faut déjà avoir acquis la justesse de l'œil, la souplesse et la légèreté de la main, il faut être à l'aise, crayon ou pinceau en main.
Vous rappelez-vous le busard de vos débuts au fusain* ?
Proposé en exemple, il vous avait permis vos premiers dessins.
Retrouvons-le maintenant, ou découvrons-le ensemble.
Vous aviez appris que pour donner forme et épaisseur aux choses, vous deviez superposer des taches de valeurs différentes (claires, moyennes ou foncées) aux formes précises.

* Voir, dans la même série et par les mêmes auteurs : *Le fusain ou l'apprentissage du dessin*, aux Éditions Fleurus.

Rien de fondamentalement changé ici.
Mais pour faire ces taches, vous ne disposez plus que d'un instrument qui fait des traits : la plume. Alors ?
Alors ces traits doivent devenir taches. Comment ? Une feuille de papier, nous allons faire des essais. Ne négligez pas ces essais, ils vous donneront assurance et souplesse.

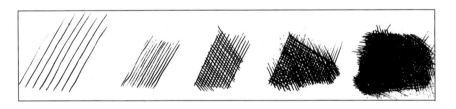

Une jolie gamme de taches aux gris nuancés — du plus clair au presque noir. Est-il possible de les utiliser comme dans un dessin au fusain ? Bien sûr.
Mais avec la plume, vous devrez apprendre à être infiniment plus précis.
Pourquoi ? Parce que pour donner cette impression de gris plat, les traits doivent être bien parallèles et leur écart régulier. Ils doivent remplir tout l'espace prévu sans laisser de trous blancs. Pas évident au début !
Surtout ne prenez ni règle ni décimètre. L'impression en deviendrait mécanique. Non, votre main, votre œil doivent apprendre à faire cela facilement et sans garde-fous. Parce qu'ici nous n'avons plus droit à l'erreur.
Plus de gomme qui efface, plus de trait de fusain écrasé avec le doigt pour trouver sa place exacte. Non, le trait est là, il y reste.
Ne vous affolez pas. Nous allons réaliser un premier dessin à la plume à partir de la photo du busard. Un peu de travail et d'exercices pour acquérir les réflexes nécessaires. C'est matériellement à la portée de tous !

LE BUSARD : UN EXERCICE À LA PLUME

Commençons donc par un dessin léger au crayon, que nous pourrons gommer par la suite. Toujours au crayon, et avec précision, déterminons les zones qui doivent rester blanches. En aucun cas, nous ne pourrons y revenir. Puis les zones grises... et les noires. De la routine tout cela, nous savons dessiner.

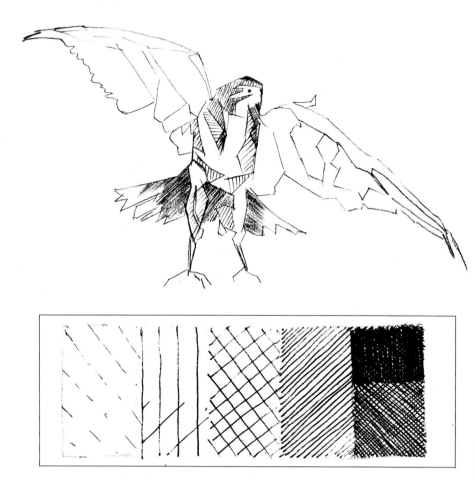

Sur une feuille annexe, cherchons les valeurs qui conviennent. Avec nos hachures, nous pouvons en principe les varier à l'infini : traits plus ou moins écartés, plume plus ou moins appuyée, traits croisés et recroisés, vous obtenez ainsi des tons très différents.

Remarque : Cette recherche de valeurs sur une feuille annexe vaut pour les premiers dessins. Très vite, vous vous sentirez assez sûrs de vous pour vous en passer.

Pour ce premier dessin, travaillons lentement.
Puisque le blanc doit rester blanc, il vaut mieux, au départ, laisser un peu plus de blanc qu'un peu moins. Il sera toujours temps de revenir dessus pour le nuancer avec des gris légers (hachures légères et écartées).

De même, ne poussez pas dès le départ, au noir très dense ce qui vous semble noir. A la fin du travail, vous aimerez peut-être retrouver dans ces parties sombres deux valeurs distinctes : un gris foncé et un noir. Et il est toujours temps de renoircir le noir.

Résistez à la tentation de prendre un pinceau pour obtenir des noirs. Par rapport au reste du travail, un noir plat est lourd. Sa nature différente attirera l'œil plus qu'il ne faut. Du courage, croisons et recroisons les traits.

Résistez aussi à la tentation de cerner à l'encre la zone à remplir. Vous introduiriez ainsi un noir supplémentaire qui fausserait toute l'échelle des valeurs. Faites-le plutôt au crayon − vous l'avez déjà fait en construisant votre dessin − un coup de gomme, et tout retrouvera sa légèreté.

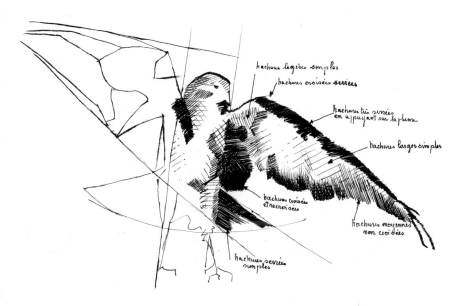

Ce premier dessin, très classique, que nous venons de réaliser ensemble, doit vous sembler un peu appliqué. Qu'importe ! Faites quelques dessins comme cela, pour bien sentir le mécanisme fondamental du dessin à la plume.

Par la suite, quand vous l'aurez bien en main, vous laisserez courir votre plume. Pris par votre travail, vous aurez vite l'impression qu'elle vous entraîne, qu'elle trouve toute seule les entorses ou les améliorations nécessaires à ce travail de base.

Dans ce travail, ma propre plume, ici, m'a poussée à essayer de traduire un certain mouvement chez le busard. Le sens des traits indique le sens des plumes et la rondeur de l'oiseau. Le dessin a gagné en présence ce qu'il perdait en précision. Les graveurs du 19e ont porté à sa perfection ce style de dessin au trait : de véritables tableaux tout en nuances.

LA PEINTURE ACRYLIQUE

Vous l'avez compris, le graphisme est friand de grandes taches plates, immédiatement lisibles, qui semblent jetées rapidement sur la feuille. Relativement nouvelle venue dans la gamme des techniques possibles, la peinture acrylique répond parfaitement à cette exigence-là. Peut-être faut-il y voir une des raisons de son succès actuel.

Fiche technique de l'acrylique

PRÉSENTATION : en tubes, comme l'huile, mais aussi en boîtes de 500 g, 1 kg ou plus.

SOLVANT : eau.

APPLICATION : au pinceau (ou à la brosse comme pour la peinture à l'huile), mais aussi au chiffon, au couteau à peindre, au rouleau, au doigt.

TEMPS DE SÉCHAGE : extrêmement rapide, de l'ordre d'1/4 heure.

Ce qui veut dire que, ce temps écoulé, on ne peut plus faire passer un ton dans l'autre, ni le modifier légèrement, en « pleine pate », comme il nous arrive de le faire avec l'huile.

Par contre, on peut très vite s'autoriser des superpositions, ou des transparences (ton léger, additionné de beaucoup d'eau) sans crainte de voir l'ancien ton « remonter » à la surface.

Se mixe facilement : pour de grandes réalisations, il est donc fort possible de préparer les principaux tons en quantité suffisante, quitte à les modifier ou à les moduler au moment de l'emploi. Cela gagnera du temps, ce fameux temps dont nous manquons toujours et que l'acrylique nous fait gagner. N'est-elle pas une technique de notre époque donc ?

Pourquoi, dans ce cas-là, ne pas partir tout simplement des trois couleurs primaires (bleu - jaune - rouge) plus le noir et le blanc. Un bon exercice de recherche de tons, à tenter avec cette peinture plus maniable et moins chère que l'huile.

L'acrylique peut tenir en extérieur. Au naturel, elle a un aspect mat.

En regardant un assortiment de peintures acryliques, on peut penser l'utiliser comme de l'huile. Plus simplement peut-être. Erreur ! La démarche est autre, complémentaire : impossible ici d'aller à petits pas, de précision en précision, impossible de s'imprégner de son sujet, de le cerner doucement en prenant son temps. Ou bien alors, il faut prendre le risque de tout repeindre dix fois. Dès le premier coup de pinceau ou de couteau, il faut savoir à peu près où l'on va, ce qui ne doit empêcher ni la spontanéité gestuelle ni les hasards heureux. L'acrylique n'est, à l'évidence, pas une technique de débutants.

Actuellement certains peintres marient acrylique et huile, en couches séparées. Avec l'acrylique, ils obtiennent des fonds superbes sur lesquels l'huile se pose facilement.

SIMPLIFICATION, RAPIDITÉ D'EXÉCUTION : voilà deux exemples types de travaux qui ont avantage à être exécutés à l'acrylique.

Montagne au coucher du soleil.
Laurence, 16 ans.

Lac de montagne.
Daniel, 16 ans.

A

LE CROQUIS

Graphisme par excellence le croquis est une façon de prendre des notes rapides, de traduire une vision, une impression fugitive. En principe cela sert surtout à remplir l'esprit d'images et à les fixer sur papier, mais aussi de réserve où l'on peut puiser pour des travaux ultérieurs.
Petit à petit, le croquis est devenu un genre en soi, qui traduit bien les préoccupations modernes de spontanéité dans l'art. Nous en sommes devenus friands, pour eux-mêmes et non plus comme outil de travail, ce dernier rôle étant maintenant dévolu à la photo.
Le croquis fait appel à toutes les techniques, les mariant suivant la nécessité. Il n'est invention que par hasard. Il est liberté par le peu d'importance que nous attachons à un travail de quelques minutes et il nous reflète parfaitement, car il est notre regard spontané sur le monde.
Tel quel, donc, il est la charnière entre les exercices techniques que nous venons de faire ensemble, et l'utilisation que vous pourrez en faire pour votre plus grand plaisir lors de vos recherches graphiques.
Il nous est impossible, de vous guider pas à pas pour vous aider à réaliser un premier croquis puisque croquis = instantané.
Mais il est possible de vous en présenter quelques-uns, bons ou mauvais, de les analyser avec vous et d'en tirer des « règles » qui vous permettront de vous lancer à votre tour.

B

C

D

E

F

G

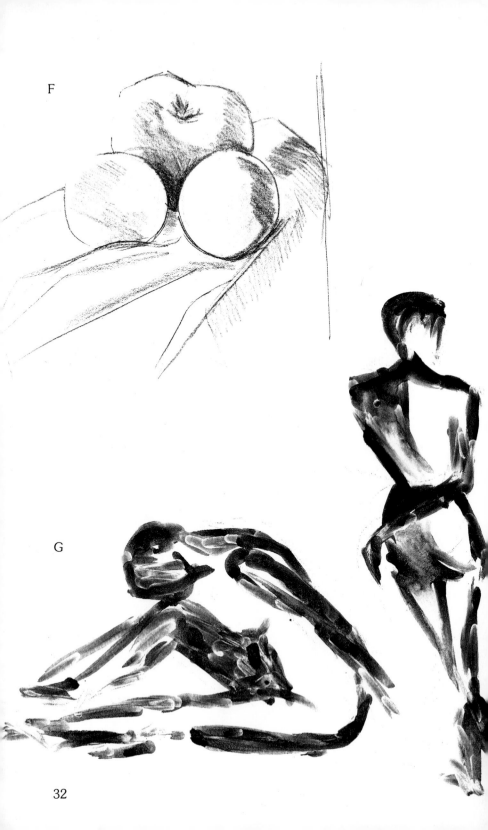

CONSTRUCTION

1   Ce n'est pas parce que vous devez aller vite qu'il ne faut pas construire un croquis. Si vous commencez par un bout avec tous les détails, vous êtes sûrs de ne pas arriver correctement à l'autre bout. Quelques grandes lignes légères bien en place comme nous l'avons toujours fait. Ou même quelques points. C'est en sécurité que vous pourrez alors insister sur ce qui vous frappe. Un bon truc : choisissez un point de repère au centre de votre dessin. Et vérifiez mentalement les autres points de construction par rapport à lui : Aplombs, distances, passage des grandes diagonales, etc. Dans la plupart des croquis que nous présentons ici, des légères lignes de construction apparaissent encore.

2   Un dessin au trait n'est pas forcément le contour extérieur de l'objet dessiné. Le trait doit suggérer les volumes. A certains endroits, il rentre légèrement à l'intérieur du contour, pour amorcer une ombre. A d'autres endroits, il est comme cassé. D'autres enfin où il disparaît dans la lumière. Regardez les arbres du croquis (A), les pattes de l'âne (D), le contour des fruits (F). La ligne extérieure (C). La patte, les oreilles de l'ours et de l'agneau (E). Ne remarquez-vous pas de nettes différences entre les traits utilisés ?

Arrêtons-nous un instant sur le (B). J'ai repris les pieds, en indiquant seulement le contour, assorti des mêmes ombres. Voyez-vous la différence ?

3   Un crayon tendre, une plume permettent de varier l'épaisseur du trait. Servez-vous-en : gras, épais dans l'ombre, fin, léger dans la lumière, jusqu'à disparaître complètement. Ne vous inquiétez pas, l'œil rétablira les parties manquantes. Croquis n° B-E-F.

4   Tout doit être employé pour arriver rapidement à indiquer les volumes, les ombres. Petites hachures rapides (C), sanguine écrasée au doigt (B), hachures au fusain (D), crayon feutre large (E), mélange de fusain et de sanguine (F).
Faites des croquis, c'est une école irremplaçable. Cela vous donnera aisance et liberté, ce dont un bon graphiste ne saurait se passer. Il est si simple d'emporter dans sa poche un carnet de croquis et un crayon ou une plume pour dessiner en toute occasion.

PLACE À L'AMUSEMENT

Tout est permis en dessin, du moment que le résultat satisfait son auteur. Toutes les entorses, toutes les contradictions à ce que nous avons écrit sont possibles. Il faut savoir faire consciemment des pieds de nez au classicisme et aux techniques lorsqu'on les possède bien. Cela, encore une fois, nous ne pouvons le faire à votre place.

De notre côté, nous nous sommes laissées aller à notre imagination, à notre imagination graphique. Un jeu.

Revenons pour cela au busard. Nous allons le dire de façons différentes, pour vous montrer de nombreuses variantes à partir d'un même sujet.

Ensuite à vous de jouer! Vous trouverez vite, sans même le chercher consciemment, votre style, votre trait personnel.

Au passage, nous retrouverons les MAÎTRES-MOTS DU GRAPHISME exposés page 9 et qui vous guideront dans vos recherches.

SIMPLIFICATION, ÉVOCATION
Par rapport à la photo de départ, il ne reste que quelques taches, et pourtant le busard est là, bien réel. Comme dans un croquis au trait, la ligne extérieure ne cerne pas, le contour de l'oiseau n'est pas précisément marqué mais l'œil rétablit les parties manquantes.
Utilisation possible de ce graphisme dépouillé : un motif, comme ceux qui à la télé dansent et se précisent peu à peu? Un coin de tapisserie peut-être?

34

SIMPLIFICATION
Un simple dessin au trait qui s'apparente au croquis.

SIMPLIFICATION, TRANSFORMATION, RE-CRÉATION
Au dessin au trait, nous avons ajouté ici quelques taches de couleur et nous voilà dans la bande dessinée. La couleur ici n'est pas un simple coloriage. Elle explique ou complète le trait, ajoute quelque chose. Peut-être adoucit-elle ce que le dessin au trait avait de trop sec ?

MISE EN SCÈNE
Pourquoi ne pas intégrer notre busard dans son milieu comme dans ces
deux exemples : éclair ou vol d'oiseaux ?

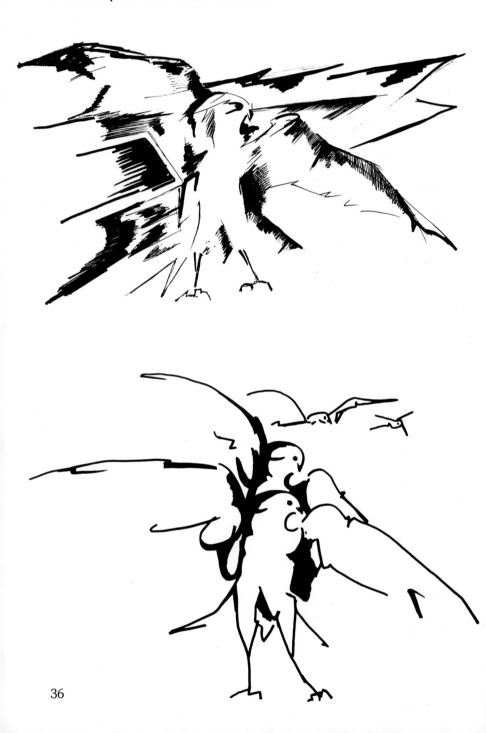

SIMPLIFICATION, AUDACE, TRANSFORMATION, RE-CRÉATION
Caricature ? En tout cas, un gribouillis au crayon feutre proche d'un dessin
d'enfant. Une audace graphique, pas une audace intellectuelle.

SIMPLIFICATION
Les deux croquis suivants ont poussé la simplification à l'extrême.
Motif de décoration, logo peut-être ?

Avec des autocollants

Réalisé au feutre celui-là...

...*D'autres encore, en noir, en couleur*...

Vous vous en doutez bien, nous n'avons pas épuisé ce sujet pourtant simple. Tous les exemples donnés ici n'ont pour but que d'expliquer qu'au-delà de la représentation d'un objet donné, vous pouvez, vous devez vous amuser avec des lignes et des taches : ce jeu-là est même bien plus important que la pureté du dessin.

Si vous vous êtes amusé, le spectateur le sentira, il s'amusera aussi en regardant votre dessin, vous aurez créé un lien entre vous deux.

A vous maintenant d'inventer ou de trouver des techniques originales : du bambou fendu au crayon feutre en passant par des plumes de diverses grosseurs ; des encres de couleur aux pastels gras que l'on écrase : tout peut être employé, à condition d'en sentir la nécessité.

A bannir : l'originalité pour l'originalité. Imposez-vous un cadre, même strict. Votre envie de le faire éclater vous poussera à de meilleures trouvailles, purement graphiques. Les moyens simples sont toujours les plus efficaces.

Un collage. Pourquoi pas ?

CRÉATIONS D'ÉLÈVES

Travaux individuels ou travaux collectifs, encre ou peinture. Toutes ces réalisations sont l'œuvre d'adolescents, âgés de 14 à 17 ans.

Page de garde d'un livre. Plume. Ariane, 16 ans.

Illustration. Encre au pinceau. Frédéric, 16 ans.

E*nfant. Acrylique. Laurent. 14 ans.*

Où la pauvreté des moyens renforce l'impression de solitude, de détresse.

*S'appuie sur un dessin très précis.
Donne l'impression d'un seul
coup de pinceau.*

*Ce sont les détails qui racontent.
Nombre limité de tons.*

Saxophoniste. Acrylique.
Sonia, 16 ans.

Affiche. Acrylique.
Florent, 16 ans.

DESSINS COLLECTIFS – ACRYLIQUE

UNE FRESQUE, UN DÉCOR DE THÉÂTRE
Leur grande taille (2,50 m × 5 m et 2,50 m × 8,20 m) ; la vision que l'on
doit en avoir de loin ; l'idée qu'il faut suggérer plus qu'expliquer : ces trois
idées font d'un décor de théâtre ou d'une fresque murale des espaces
graphiques intéressants.
Des recherches d'images diverses, parfois à partir de livres d'art, un premier
jet peint rapidement sur un papier de petit format puis repensé et
recomposé à grands coups de ciseaux et de collages. Lorsque l'ensemble
paraît satisfaisant, un agrandissement aux carreaux des principales lignes de
composition sur le support définitif. Au cours des deux projets que nous
vous présentons, chacun s'est affairé sur la partie qui lui était réservée, ces
morceaux se changeant et s'interchangeant pour donner au bout du compte
une unité à l'ensemble.
Dans les deux cas, la réalisation de ces panneaux n'a duré que quelques
heures : de grandes quantités de peinture dans les tons dominants,
préparées à l'avance, que chacun modulait à sa guise dans des pots plus
petits ou sur sa palette.

Trois éléments d'un panneau prévu pour un décor de théâtre.

À VOUS MAINTENANT

Tout ce qui peut faire des taches, tout ce qui peut faire des traits peut être utilisé, doit être utilisé. Les énumérer : pourquoi ? Si nous nous sommes bien compris, vous trouverez vous-même, selon les circonstances, les moyens à employer pour parvenir à vos fins.

La frontière entre graphisme et décor étant somme toute assez floue, il vous arrivera de mélanger dessins et objets (présentation, vitrine) figuratifs et non figuratifs, écriture et dessin (affiches, dépliants, présentation de dossier), encres et photos, matières diverses... Laissez-vous guider, non par des idées, mais par votre goût, votre sensibilité.

Et n'oubliez pas que pour ce genre d'expression, l'impression produite, le mouvement général, le déclic entre le spectateur et vous, est bien plus important que la finesse et même la justesse du détail.

Au terme de cette série, vous vous apercevrez qu'ensemble nous avons parcouru un chemin immense, des années de travail peut-être ! Simples balbutiements au début, quand nous cherchions seulement à représenter quelque chose, la porte est maintenant ouverte sur l'art de notre temps.

Jouez donc avec les formes et les couleurs...

C'est ce que nous n'avons cessé de vous dire jusqu'ici.

Et maintenant peut-être pourrions nous préciser :

Jouez avec des formes, avec de la couleur et de la technique.

Tout notre monde moderne, soudain, apparaît dans ce mot : la technique. Mais il arrive que le jeu devienne grinçant quand elle devient prioritaire. L'important, ce n'est pas la technique. Elle n'est qu'un instrument au service de notre imagination.

L'important est en vous. Lentement, patiemment, nous vous avons appris, je l'espère à apprivoiser votre personnalité, à la construire, à la nourrir en aiguisant votre regard, votre sensibilité, à la laisser transparaître, puis à tenter de l'exprimer. Tout en vous amusant.

Peut-être, maintenant, êtes-vous prêts pour d'autres formes d'expression ? Les techniques sont là, elles vous fascinent comme elles nous fascinent tous. Et pourquoi ne pas jouer vous aussi ?

Caméras, appareils photos, aérographe − images en mouvement, techniques d'impression... la liste des techniques modernes serait immense. Et elle s'élargira encore, tous genres mélangés, ce qui explique la forme exacerbée de certaines recherches actuelles.

Quant à nous, beaucoup plus simplement, persuadons-nous que l'art n'est pas affaire de spécialistes. Si vous avez, comme nous l'espérons, appris à laisser parler votre sensibilité, vous trouverez dans votre vie mille manières de l'exprimer. Avec mille joies !

Et peut-être aussi, sentirez-vous un peu mieux l'art du XXe siècle, si déroutant pour nous, ses contemporains.

BEAUX-ARTS - ARTS DÉCORATIFS
DANS LE CATALOGUE FLEURUS IDÉES

POUR DÉCOUVRIR L'HISTOIRE DE L'ART

Monica Buckhardt
Le jouet de bois de tous les temps,
de tous les pays

Pierre Andrès
Les machines singulières

Eska Kayser / Jacqueline Marquet
Un tableau, un enfant, un peintre,
une histoire

Christiane Deroy / Corine Laporte
Au Louvre, un voyage au cœur de
la peinture

INITIATION AU DESSIN, AUX COULEURS

La bruine
Cartogravure
Avec des encres de couleur
Techniques de peinture fantaisie
Pour faire vivre les couleurs
Techniques originales avec des crayons
de couleur

ENSEIGNEMENT ARTISTIQUE

Marie-Claude Courade
Anne Lalande
Le fusain ou l'apprentissage du dessin
Le pastel ou la découverte de la couleur
Le graphisme ou le langage par l'image
L'huile ou le plaisir de la matière

Danielle de Lapparent
L'atelier des petits 1. Dessin, peinture
L'atelier des petits 2. Activités
manuelles

Françoise Hannebicque
Pour le peintre amateur (dessin,
aquarelle, gouache, huile,
craie d'art)

Collection les Secrets de l'artiste
Les secrets de la peinture à l'huile
Les secrets de l'aquarelle
Les secrets du paysage
Les secrets du dessin au crayon
Les secrets de la nature morte
Les secrets du croquis
Les secrets de la perspective
Les secrets d'une vraie créativité

photo page 21 : J.P. Varin / Jacana

© Éditions Fleurus, 1989
Achevé d'imprimer en décembre 1989
par Partenaires S.A., France
N° d'édition 89417
ISBN 2.215.01348.6
1re édition
Dépôt légal à la date de parution